maman

le four

les radis

les pommes de terre

les fleurs

la brebis

le jambon

la vache

les tulipes

les fraises

Un personnage de Thierry Courtin
Couleurs : Françoise Ficheux

Conforme à la loi n°49.956 du 16 juillet 1949
sur les publications destinées à la jeunesse.
© Éditions Nathan, 2006
ISBN : 978-2-09-250538-0
N° d'éditeur : 10148933 – dépôt légal : janvier 2008
Imprimé en France par Pollina – n° L45572

T'choupi
et les courses

Illustrations de Thierry Courtin

Ce matin, c'est papa qui fait les courses.

En écrivant sa  , il demande

liste

à  :

T'choupi

— Tu veux venir avec moi, mon chéri ?

— Oui, papa ! répond T'choupi.

T'choupi suit papa à la boucherie.

Papa commande un .

rôti

T'choupi regarde le boucher découper

la viande avec son grand .

couteau

T'choupi aime bien la machine qui coupe

des tranches de  .

jambon

— Papa, tu sais que le jambon,

c'est fait avec les fesses du ?

cochon

demande T'choupi en rigolant.

Chez le marchand de fruits et légumes,

papa choisit un kilo de

pommes de terre

et une botte de  .

carottes

T'choupi voudrait des , alors

radis

papa en prend aussi.

Le marchand demande :

— Il vous faut autre chose ?

Papa achète des et des pommes.

cerises

En voyant l'air gourmand de T'choupi,

le marchand lui dit :

— Tiens, prends cette , mon petit !

fraise

Devant la poissonnerie, T'choupi tire

la main de papa.

— Regarde, des  et des !

crevettes   crabes

Tu crois que le poissonnier les a pêchés ?

— Non, il est allé les acheter sur un grand

marché aux poissons et aux crustacés.

Dans la crèmerie, T'choupi observe

les fromages : le camembert est fait

avec le lait de la , le roquefort

vache

avec le lait de la ... et le fromage

brebis

de chèvre ? Avec le lait de la !

chèvre

— Miam-miam ! se dit T'choupi.

Le caddie de papa commence à être lourd.

— Je crois qu'on peut rentrer maintenant...

Ah non, on doit encore acheter du pain !

T'choupi et papa vont à la boulangerie.

— Tu vois dit papa, avec de la farine,

de l'eau et de la levure, le boulanger fait

une  qu'il pétrit bien. Il l'étale ensuite
pâte

et la fait cuire dans un grand  .
four

— J'ai un peu faim, moi, dit T'choupi.

— Voilà un petit bout de pain, mon chéri.

Devant la boutique du fleuriste, papa dit

à T'choupi :

— Tu veux choisir des pour maman ?

fleurs

— Oui ! un gros bouquet de !

tulipes

— D'accord, mais c'est toi qui le portes.

En arrivant à la maison, T'choupi donne

les fleurs à  .

maman

— Maman, tu veux bien retourner faire

les courses avec moi ?

— Ah bon, mais pourquoi ?

— On a oublié d'acheter des !

bonbons

Dans cette scène, retrouve ce que T'choupi a vu en faisant les courses :

une liste,

un rôti,

du jambon,

des pommes de terre,

des carottes,

des radis,

des cerises,

des fraises,

des crevettes,

un crabe,

du pain,

des tulipes.

T'choupi

les bonbons

les crabes

la liste

la pâte

le rôti

le cochon

les carottes

le couteau

les cerises

la chèvre

le pain